Osa

José Ramón Alonso
Lucía Cobo

El otoño cubre los campos
y Osa está sola.

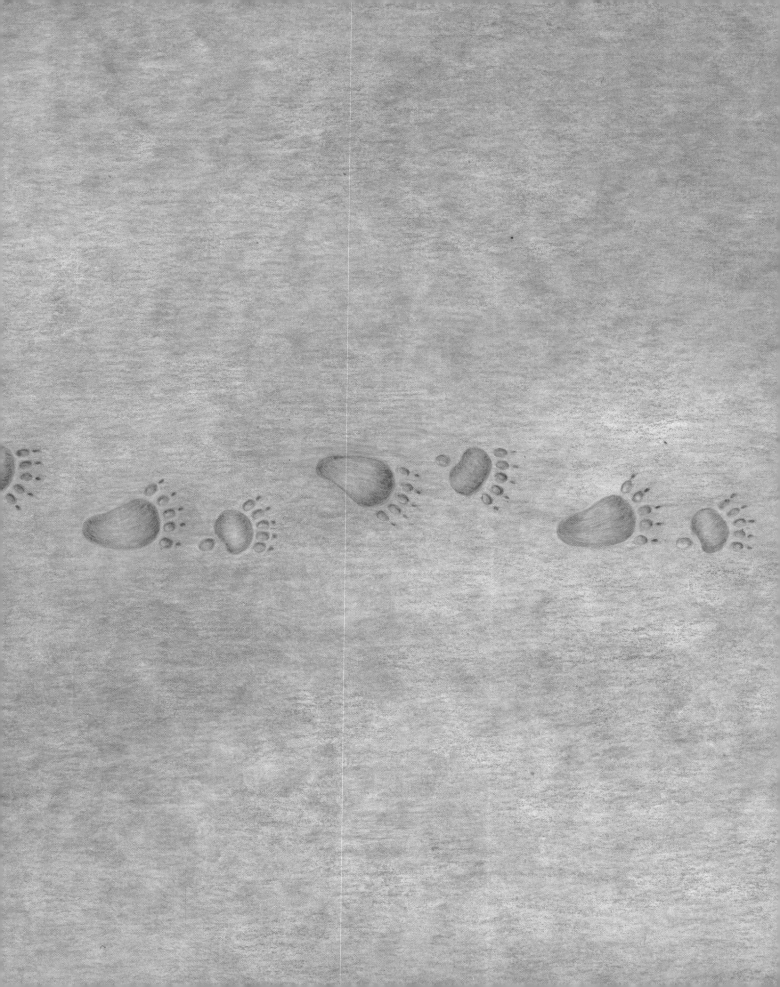

A mis padres, por creer en mí y en este mi sueño.
Lucía

A Carmina, que nos dio vida y amor.
José Ramón

Osa
Primera edición: octubre de 2015
© del texto: José Ramón Alonso, 2015
© de las ilustraciones: Lucía Cobo, 2015
© de esta edición: Narval Editores, 2015
info@narvaleditores.com
www.narvaleditores.com
ISBN: 978-84-944642-0-1
DL: M-33595-2015

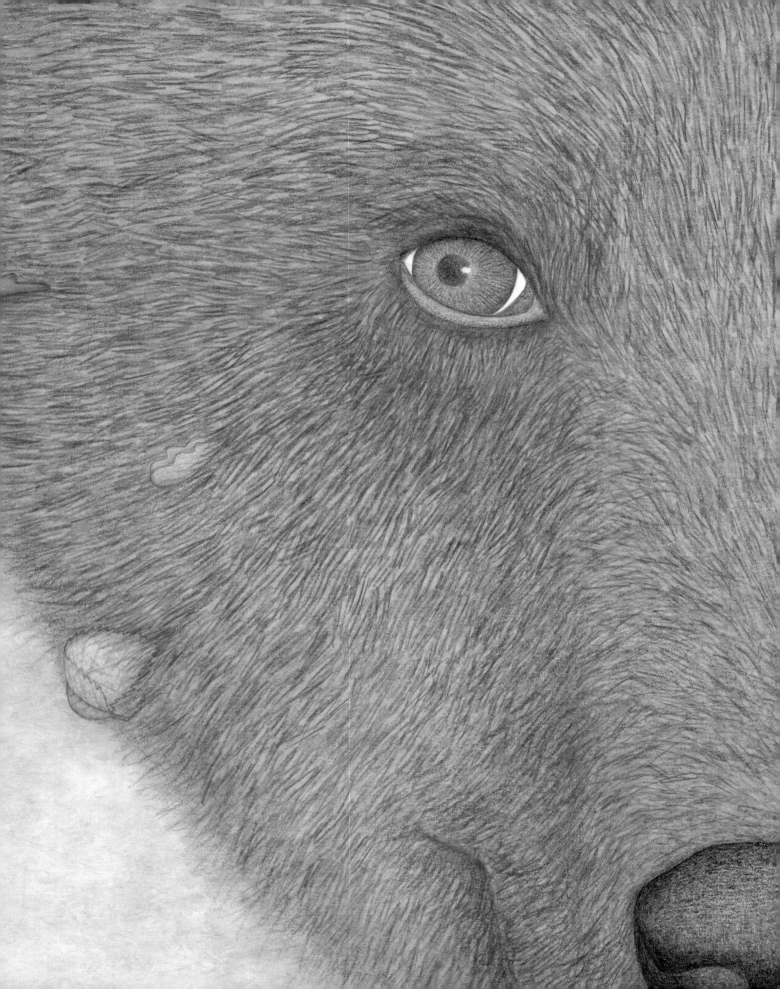

Rodeada de espesura, Osa busca...

Su pelaje se viste de semillas

mientras come la última fruta del verano.

El aire es cada vez más frío.
Los días más cortos.

Excava un hueco junto a una gran roca.

Pronto la nieve cubre la tierra y el cielo.

Osa duerme todo el invierno.

Una mañana, la luz inunda su escondite
bajo el hielo. Su tripa se agita. No es hambre.

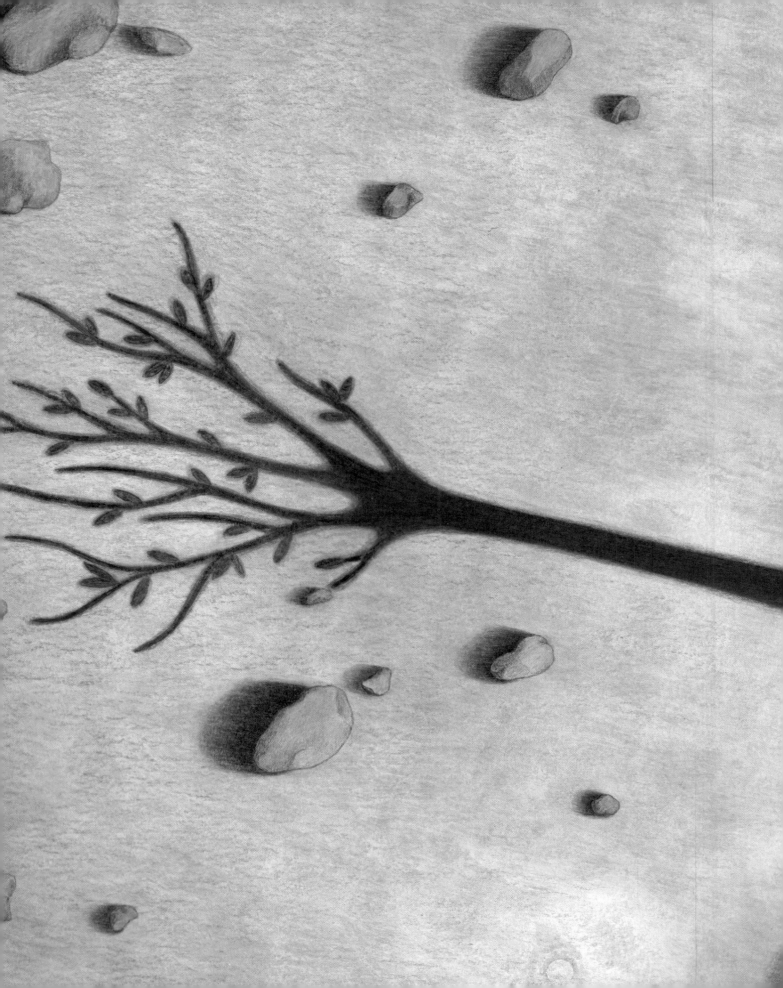

Desperezándose sale al exterior
y el sol la acaricia.
Siente una patada dentro.

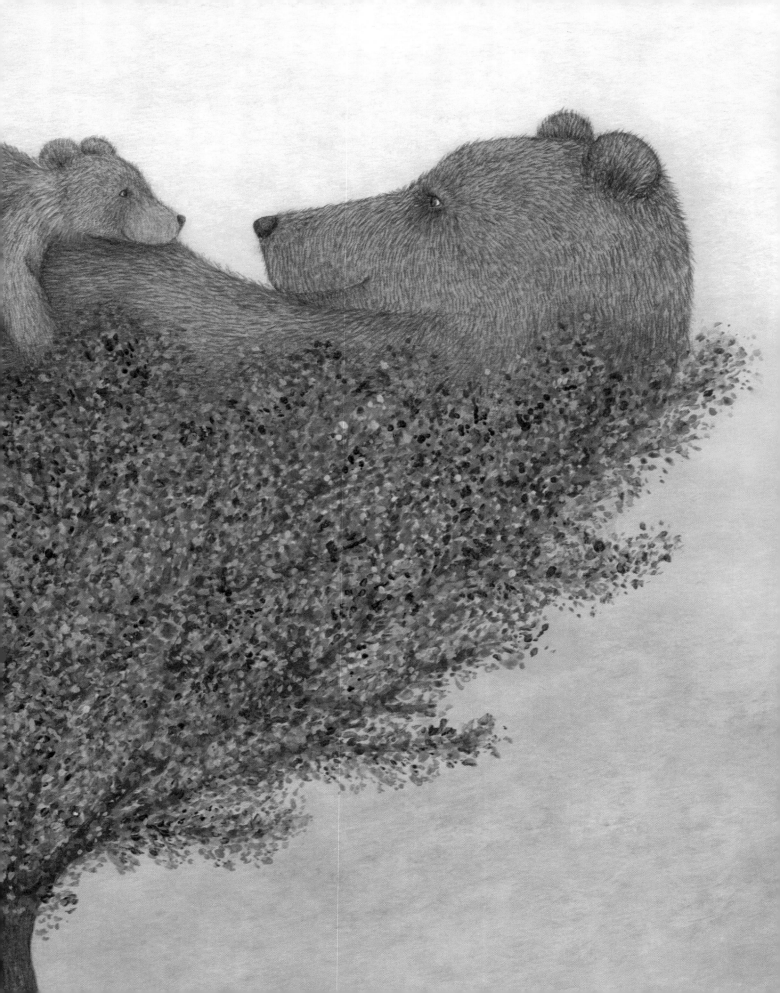

Una nueva primavera comienza.

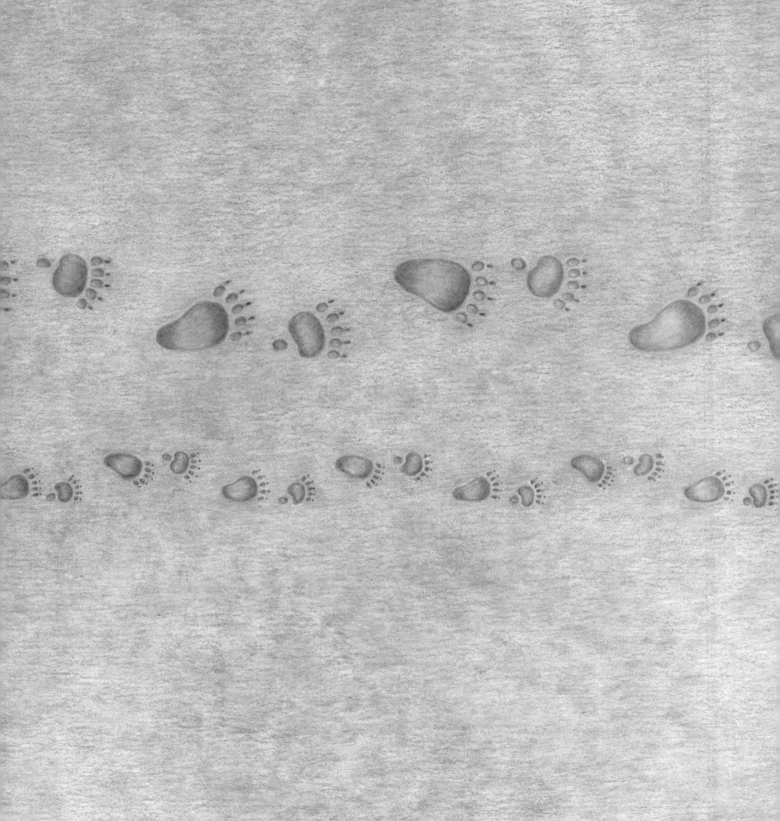